みかん島《とう》と
どうぶつ島《じま》の
ちず
みかんの木がしま中
どこにもはえています。
ぴょんぴょこいわ
クランベリ
エルマーは、ごごおそく
ここについて、
くらくなるのを
まちました。
みかん島《とう》
エルマーは、
このみかんの木の
下でねました。
エルマーは、
ここでひとばんやすんで、つぎのあさ、
ぴょんぴょこいわを、
みつけました。
エルマーは、りょうしのおじさんに
あいました。おじさんは、
「どうぶつ島のことを、かんがえるだけで、
ふるえてしまう」といいました。

エルマーのぼうけん

エルマーのぼうけん

ルース・スタイルス・ガネット さく
ルース・クリスマン・ガネット え
わたなべ しげお やく

福音館書店

MY FATHER'S DRAGON

by Ruth Stiles Gannett
Illustrated by Ruth Chrisman Gannett

First published by Random House, Inc., New York, USA, 1948
This Japanese edition published by Fukuinkan Shoten Publishers, Inc., Tokyo, 1963
This translation published by arrangement with Random House Children's Books,
a division of Random House, Inc., through Japan UNI Agency, Inc., Tokyo.

Printed in Japan

もくじ

ぼくのとうさん　ねこにあう……7
エルマー　にげだす……16
エルマー　島《しま》をみつける……29
エルマー　川《かわ》をみつける……41
エルマー　とらにあう……53
エルマー　さいにあう……65
エルマー　ライオンにあう……78
エルマー　ゴリラにあう……88
エルマー　はしをかける……102
エルマー　りゅうをみつける……111

ぼくのとうさん　ねこにあう

ぼくのとうさんのエルマーが小《ちい》さかったときのこと、あるつめたい雨《あめ》の日《ひ》に、うちのきんじょのまちかどで、としとったのらねこにあいました。ねこは、びしょぬれで、とてもきもちがわるそうだったので、ぼくのとうさんは、いいました。

「ぼくのうちにきてみませんか?」

これをきいて、ねこはおどろきました――こんなとしとったのらねこにやさしくしてくれた人《ひと》なんか、いままでいなかったからです――けれども、ねこは、こういいました。

「あったかいだんろのそばにすわれて、ミルクをおさらに一《いっ》ぱいもいただけたら、たいへんうれしいんですけどね。」

「ぼくのうちには、とてもすてきなだんろがあるんだ。」

と、ぼくのとうさんは、いいました。

「それにぼくのかあさんは、おさらに一《いっ》ぱいぐらいのミルクならきっとわけてくれるよ。」

ぼくのとうさんとねこは、すぐなかよくなりました。

けれども、ぼくのとうさんのかあさんは、そのねこがきたのをみると、とてもおこりました。かあさんは、ねこがきらいでした。きたない、としとったのらねこは、とくべつだいきらいでした。

「エルマー・エレベーター！」

と、かあさんは、ぼくのとうさんのなまえをよんでいいました。

「まさかおまえは、このわたしが、あんなのらねこに、ミルクをめぐんで

やるなんてかんがえていないでしょうね。とんでもない！　一《いち》ど、やどなしののらねこにたべものをやれば、まちじゅうののらねこにたべものをやるようなことになっちまうんだからね。そんなこと、わたしは、ごめんだよ！」

これをきいて、エルマーは、とてもがっかりしました。それから、エルマーは、かあさんが、こんなしつれいなことをいったので、ねこにあやまりました。

エルマーは、ねこに「とにかくこのうちにいなさいよ、そうすれば、なんとかして、まい日《にち》おさらに一《いっ》ぱいミルクをもってくるからね。」と、いいました。

エルマーは、三《さん》しゅうかん、ねこをやしなってやりました。

ところが、ある日《ひ》のこと、かあさんは、ちかしつでねこのおさらをみつけてしまい、とてもおこりました。かあさんは、エルマーをむちでたたい

て、ねこをまどからほうりだしました。

けれども、すこしたつと、エルマーは、うちをぬけだしていって、ねこをみつけました。

ねことエルマーは、いっしょにこうえんへさんぽにいって、なにか、たのしいはなしはないかしらとかんがえました。エルマーが、いいました。

「ぼくは、大《おお》きくなったら、ひこうきをもつよ。どこでもすきなところへ、とんでいけたらすばらしいじゃないか！」

「とってもとっても、そらをとんでみたいとおもいますか？」

と、ねこがききました。

「とびたいさ。とべるんなら、なんでもするよ。」

「それなら、」

と、ねこはいいました。

「ほんとに、そんなにとびたいんなら、大《おお》きくなってからでなくても、と

ぶほうほうが、あるかもしれませんよ。」

「きみ、ひこうきが手《て》にはいるところ、どこかしってるっていうの？」

「まあ、ほんとのひこうきっていうわけじゃないけど。でも、ひこうきよりも、まだいいものですよ。」

ごらんのとおり、わたしは、もうとしよりねこですけれど、わかいころは、かなりのりょこうかでした。もういまでは、りょこうなんかできなくなりましたが、きょねんのはる、さいごのひとりょこうとおもって、みかん島《とう》へでかけました。

まずついたのは、クランベリこうです。ところが、ちょっとじょうりくしているまに、そのふねがでてしまったんですよ。つぎのふねをまつまに、あたりをすこしけんぶつしようかなとかんがえました。みかん島《とう》へくるとちゅう、そばをとおったどうぶつ島《じま》が、とくべつおもしろそうにおもえたからなんです。

どうぶつ島《じま》とみかん島《とう》とのあいだには、いわがてんてんとあって、二《ふた》つの島《しま》は、とび石《いし》づたいにつながっているようなものでした。けれども、だれもどうぶつ島《じま》にはいきません。なぜかっていうと、どうぶつ島《じま》は、ジャングルばかりで、とてもおそろしいもうじゅうが、すんでいたからです。

そこで、わたしは、いわづたいに島《しま》へわたって、たんけんしてみることにしました。

たしかにおもしろいところでした。ところが、その島《しま》で、なきたくなるほど、かなしいものをみたんでございますよ。」

どうぶつ島《じま》
川《かわ》

エルマー　にげだす

「どうぶつ島《じま》のまん中《なか》には、ひろい、どろ水《みず》の川《かわ》がながれていて、島《しま》は、まっぷたつにわかれています。」

と、ねこは、はなしをつづけました。

「この川《かわ》は、島《しま》のかたいっぽうのはしからながれでていて、もういっぽうのはしから、うみへながれだしています。

さて、この島《しま》のどうぶつたちは、たい

へんなまけものでした。川《かわ》にそって、ずっとあるいてのぼり、川《かわ》のはじまるところを、ぐるりとひとまわりして、それから、川《かわ》のはんたいがわにいくなんて、とてもいやだと、いつもおもっていました。

川《かわ》のはんたいがわにすんでいるともだちをたずねることが、たいへんふべんだったばかりか、ゆうびんはいたつも、たいへんじかんがかかりました。とくに、ゆうびんのたくさんでるクリスマスは、いけませんでした。

わには、おきゃくさんやゆうびんぶつを、せなかにのせてはこべました。けれどもわには、たいへんきまぐれだったので、ぜんぜんあてになりませんでした。おまけに、いつでもなにか、たべるものはないかと、さがしておりました。

わには、ほかのどうぶつが、川《かわ》をひとまわり、ぐるりとまわって、はんたいがわにいかなければならなくっても、しらんかおでした。だから、どうぶつたちは、ながいあいだ、ぐるりとまわって、川《かわ》のむこうぎしへある

いていってました。」

「だけど、ひこうきと、いまのはなしと、どんなかんけいがあるの?」

ねこのせつめいがあまりながいのでエルマーは、がまんができなくなってききました。

「まあ、まあ、おききなさい。エルマーくん。」

ねこは、はなしをつづけました。

「そう、わたしが、どうぶつ島《じま》へいくより、四《よん》かげつぐらいまえでしたでしょうか。そらのひくいところにういていたくもから、一《いっ》ぴきのりゅうの子《こ》どもが、川《かわ》ぎしへおっこちてきたのです。

ちっちゃな子《こ》どもだったので、まだよくとべなかったんですね。それにおちたときに、かたいっぽうのはねをけがしてしまったので、くもにかえることができなくなったのです。

まもなく、この赤《あか》んぼうのりゅうをみつけたどうぶつたちが、口《くち》ぐちに、

こういいました。
『あれあれ、こいつぁ、いいぐあいじゃないか。おれさまたちが、ながねんいりようだったものが天《てん》からふってきたぞ！』
　どうぶつたちは、りゅうのくびに、ふといなわをまきつけて、けがをしたはねのなおるのをまちました。これで、川わたりもんだ

いが、かいけつされることになったのです。」

「でも、ぼくは、りゅうなんかみたこともないな。きみは、そのりゅうをみたの？　どのくらい大《おお》きかった？」

と、エルマーは、ききました。

「ええ、もちろん、ほんとに、わたしは、そのりゅうをみましたとも。それに、わたしたちは、大《だい》のしんゆうになったのです。」

と、ねこは、いいました。

「わたしは、くさむらにかくれていて、だれもいないのをみすまして、よく、りゅうにはなしかけたものです。

あまり大《おお》きなりゅうではなかったですね。だいたい、大《おお》きなくろくまぐらいだったでしょう。もっとも、わたしがどうぶつ島《じま》からかえってきてから、もっとずっと大《おお》きくなったとはおもいますがね。

りゅうは、ながいしっぽをしていて、からだにはきいろと、そらいろの

しまがありましたよ。つのと、目《め》と、足《あし》のうらは、目《め》のさめるような赤《あか》でした。それから、はねは金《きん》いろでした。」

「うわあ！　すごいなあ！」

エルマーは、おどろきました。

「それで、はねがなおってから、どうぶつたちは、そのりゅうをどうしたの？」

「おきゃくをはこぶように、りゅうをくんれんしはじめたのです。まだちっちゃな子《こ》どものりゅうだったのに、一日《いちにち》じゅう、ひどいときには、よどおしもはたらかせたのです。

ものすごいおもいにもつをはこばせたり、それで、もし、りゅうがもんくをいえば、はねをねじったり、からだをたたいたりしました。りゅうは、ちょうど川《かわ》のはばくらいのながさのつなで、一《いっ》ぽんのくいに、くくりつけられていました。

ともだちといえば、わにぐらいのものでしょうか。それも、一《いっ》しゅうかんに一《いち》どだけ、もしわすれなければ、

『よう！』

と、こえをかけてくれるだけでした。

ほんとに、わたしがいままでにあったなかで、いちばんかわいそうなどうぶつだったでしょうね、このりゅうは。

島《しま》をでるとき、わたしは『いつかきっとたすけてやる』と、やくそくしてきました。もっとも、どうしてたすけてやったらいいのかわかりませんでしたがね。

りゅうのくびにしばりつけてあったつなは、まあ、せかいじゅうでもいちばんふとくて、じょうぶなものでした。それに、なんかいもなんかいもりゅうのくびにまきつけてありますから、それをほどくだけでも、なん日《にち》もかかることでしょうよ。

とにかくね、あなたがひこうきのはなしをしたので、わたしは、そうだ！　と、おもったんですよ。

たしかに、たいへんなしごとですがね。もし、あなたが、りゅうをたすけてやれば、きっとりゅうは、あなたを、せなかにのせて、どこへでもとんでってくれますよ。ただし、りゅうにしんせつにしてやって、なかよしにならなければなりませんけどね。どうです、一《ひと》つ、やってみては？」

「うん、やってみるとも。」

と、エルマーは、いいました。

かあさんが、ねこにあんまりしつれいなことをしたので、エルマーは、うちから、しばらくにげだすことなんかへっちゃらなきがしたのです。

すぐその日《ひ》のごご、エルマーとねこは、みなとへいってみかん島《とう》へいくふねをさがしました。つぎのしゅうに、しゅっぱんするふねがあることがわかったので、すぐさまりゅうをすくいだすほうほうをかんがえました。

ねこは、エルマーに、あれこれともっていくものをおしえました。それから、どうぶつ島《じま》のことをぜんぶ、エルマーにはなしました。でも、ねこは、すっかりとしをとっているので、エルマーといっしょにいくことはできませんでした。

なにからなにまで、ぜったいだれにもしられないようにじゅんびしました。ぼうけんにもっていくために、さがしたり、かったりしたものはこうえんの大《おお》きな石《いし》のうしろにかくしておきました。

ふねがしゅっぱんするまえのばん、エルマーは、おとうさんのリュックサックをそっとかりてきて、ねこといっしょに、にもつをつめこみました。

エルマーのもっていったものは、チューインガム、ももいろのぼうつきキャンデー二《に》ダース、わゴム一《ひと》はこ、くろいゴムながぐつ、じしゃくが一《ひと》つ、はブラシとチューブいりはみがき、むしめがね六《むっ》つ、さきのとがったよくきれるジャックナイフ一《ひと》つ、くしとヘアブラシ、ちがったいろのリボ

ン七本《ななほん》、『クランベリいき』とかいた大《おお》きなからのふくろ、きがえをなんまいか、それから、ふねにのっているあいだのしょくりょうでした。

ふねの中《なか》のねずみをたべていきていくわけにもいかないので、ピーナッツバターとゼリーをはさんだサンドイッチを二十五《にじゅうご》と、りんごを六《むっ》つもちました。なぜりんごが六《むっ》つかといえば、それだけしか、だいどころになかったからです。

にもつをぜんぶリュックサックにいれて、エルマーとねこは、ふねのまっているみなとへいきました。よまわりのばんにんがふねの上《うえ》にたっていました。

そこで、ねこがおかしななきごえをして、ばんにんが、ねこのほうをみているすきにエルマーは、わたりいたをわたって、ふねの中《なか》にしのびこみました。エルマーは、ふねのそこにはいりこんで、むぎぶくろのあいだにかくれました。

ふねは、つぎのあさはやく、しゅっぱんしました。

エルマー　島《しま》をみつける

エルマーは、六日六《むいかむ》ばんふねのそこにかくれていました。もっとにもつをつむために、とちゅうのみなとにふねがとまったとき、エルマーは、二《に》どほど、あやうくみつかりそうになりました。でも、ある日《ひ》、とうとう「つぎのみなとはみかん島《とう》のクランベリだぞ」と、せんいんが、いっているのがきこえました。それから「クランベリで、むぎのつみにをおろすのだ」と、いいました。もしせんいんにみつかってつかまれば、うちにおくりかえされてしまいます。

エルマーは、リュックサックの中《なか》をのぞきこんで、わゴムを一本《いっぽん》と、『ク

ランベリいき』とかいた、からのむぎぶくろをとりだしました。いよいよふねがとまったので、リュックサックをかかえたまま、ふくろの中《なか》にもぐりこみ、ふくろの口《くち》を中《なか》がわにひっぱって、わゴムでぐるぐるまきました。ほかのむぎぶくろとくらべると、なんだかようすがかわったふくろになりましたけれど、なんとかごまかせそうでした。

まもなくせんいんたちが、にもつをおろしにやってきました。大《おお》きなあみをふなぞこにおろして、むぎぶくろをつみはじめました。とつぜん、ひとりのせんいんが、さけびました。

「おったまげたね！　こんなへんちくりんなむぎぶくろ、みたことないぞ！　でこぼこのこぶだらけ！　それでも、ちゃあんと『クランベリいき』と、かいてあるぜ。」

ほかのせんいんたちも、そのふくろをみにあつまってきました。エルマーは、ふくろの中《なか》で、いっしょうけんめい、むぎぶくろにみせかけよう

とがんばりました。もうひとりのせんいんが、ふくろにさわると、ちょうどそこに、エルマーのひじがありました。

「おお、わかったぞ。」

と、そのせんいんは、いいました。

「こりゃあなあ、くきにくっついたままのとうもろこしだあ。」

そういって、ほかのむぎぶくろといっしょに、エルマーのはいったふくろを、大《おお》きなあみの中《なか》になげこみました。

もうすっかりゆうがたになっていたので、このむぎをちゅうもんしたクランベリのしょうにんは、つぎの日《ひ》のあさになってから、むぎぶくろのかずをかぞえることにしました。(この人《ひと》は、じかんをいつもせいかくにまもる人《ひと》なので、ばんごはんのじかんにおくれたくなかったのです。)

せんいんたちが、せんちょうにしごとのおわったことをしらせると、せんちょうは、一《いち》まいのかみにこうかきました。

『むぎ百六十《ひゃくろくじっ》ぷくろと、くきについたままのとうもろこし一《ひと》ふくろ、たしかにおとどけしました。』

このかみをしょうにんにわたすと、ふねは、そのばんみなとをでていきました。

エルマーは、あとになって、こんなはなしをききました。しょうにんは、つぎの日《ひ》に、一《ひと》つ一《ひと》つふくろをさわりながら、くきについたままのとうもろこしが、一《ひと》ふくろあるはずだとおもって、なんかいもなんかいも、ぜんぶのふくろをかぞえなおしたということです。一日《いちにち》じゅうかかっても、そのふくろをみつけることができませんでした。

できないはずです。くらくなると、すぐさま、エルマーは、ふくろの中《なか》からはいだして、そのふくろをたたんで、リュックサックの中《なか》にしまってしまったからです。

エルマーは、かいがんをあるいて、やわらかいすなのあるところをみつ

けると、そこでねました。

つぎのあさ目《め》がさめると、エルマーは、おなかがぺこぺこになっていました。

なにかたべものは、のこっていないかなあとおもって、リュックサックの中《なか》をさがしていると、上《うえ》のほうからなにかがおちてきて、すとんと、あたまにあたりました。みると、それはみかんでした。

エルマーは、大《おお》きい、まんまるいみかんがいっぱいなってい

る木《き》の下《した》でねむっていたのです。そこで、エルマーは、ここは、みかん島《とう》だったなと、おもいだしました。

みかんの木《き》が、ここにも、そこにも、はえていました。エルマーは、リュックサックがいっぱいになるまでみかんをとりました。ちょうど三十一《さんじゅういち》はいりました。

それから、どうぶつ島《じま》をさがしにでかけました。

エルマーは、かいがんをあるいて、あるいて、あるいて、みかん島《とう》とどうぶつ島《じま》をつないでいるいわをさがしました。

一日《いちにち》じゅうあるいて、やっとりょうしのおじさんにであったので、どうぶつ島《じま》のことをたずねました。

けれども、このりょうしのおじさんは、がたがたふるえてしまって、いつまでたってもなんにもいいませんでした。どうぶつ島《じま》ときいただけで、こわくてふるえてしまったのです。でも、やっといいました。

「いままでおおぜいの人《ひと》が、どうぶつ島《じま》へわたっていったけれど、だあれもいきてかえってこねえ。おっかねえもうじゅうに、たべられちまったんだろう。」

これをきいても、エルマーは、へいきでした。エルマーは、あるきつづけて、そのばんもかいがんでねました。

つぎの日《ひ》は、とてもいいおてんきでした。

ひとわたりみわたすと、かいがんのずうっとさきのほうに、うみの中《なか》へ、てんてんとつづいている、いわがみえました。そのいわのずっとずっとさきに、小《ちい》さく、みどりのかたまりがみえました。

エルマーは、みかんを七《なな》つおおいそぎでたべると、いわのほうにむかって、かいがんをどんどんあるいていきました。

いわのところまでくると、もうくらくなりかけていました。でも、そこからみると、うみのずっとむこうにみどりの島《しま》がみえました。

エルマーは、そこにすわって、すこしやすんで、ねこがいったことをおもいだしました。

「できるだけ、よるのあいだに島《しま》へわたりなさい。よるならば、島《しま》のもうじゅうたちには、きみがいわをわたってくるのがみえないし、島《しま》についたら、すぐかくれることができますからね。」

そこでエルマーは、みか

んをもう七《なな》つとって、くろいゴムながぐつをはいて、くらくなるのをまちました。

まもなく、まっくらなよるになりました。うみの中《なか》のいわが、もうほとんどみえなくなりました。

とってもたかいいわがあるかとおもえば、なみの中《なか》にかくれてしまうような、ひくいいわもありました。おまけに、つるつるすべって、あるきにくいいわばか

りでした。それから、いわといわとのあいだが、とてもはなれているところもありました。そういうところでは、エルマーは、まえのいわの上《うえ》をいきおいよくはしっていって、えーいっとばかり、つぎのいわにとびうつらなければなりませんでした。

いわをわたっていくと、ごうごういうおとがきこえはじめました。島《しま》にちかづくにつれ、だんだんそのおとが大《おお》きくなりました。しまいには、まるでそのおとが、足《あし》の下《した》からきこえてくるようになりました。たしかにおとは、足《あし》の下《した》でしていたのです。

エルマーは、一《ひと》つのいわからとんだひょうしに、小《ちい》さなくじらのせなかにとびのってしまったのです。そのくじらは、二《ふた》つのいわのあいだで、ぐっすりねむっていたのです。

くじらは、ものすごいいびきをかいていて、そのいびきが、パワーシャベルのおとよりも大《おお》きなおとだったので、エルマーが、

「ごめんよ、きがつかなかったもんだから！」

と、いっても、ぜんぜん目《め》をさましませんでした。それどころか、エルマーが、まちがって、せなかにのってしまったことさえしりませんでした。

エルマーは、七《しち》じかんも、いわからいわへ、すべったり、とんだりしましたが、まだあかるくならないうちに、いちばんしまいのいわから、どうぶつ島《じま》の上《うえ》に、ぴょんと、とびうつることができました。

エルマー　川《かわ》をみつける

どうぶつ島《じま》には、なみうちぎわに、せまいかいがんがあって、そこからさきは、すぐジャングルになっていました。木《き》のびっしりはえた、くらい、じめじめした、きみのわるいジャングルでした。

エルマーは、どっちへいったらいいのか、さっぱりわかりませんでした。そこで、かんがえようとおもって、ひくいワフーの木《き》のしげみの下《した》にもぐりこんで、みかんを八《やっ》つたべました。

まずはじめにやることは「川《かわ》をみつけることとだ」と、エルマーはきめました。なぜかというと、川《かわ》ぎしのどこかにりゅうがつながれているはず

だったからです。それから、もうすこしかんがえました。

「川《かわ》は、うみの中《なか》へながれこんでいるはずだから、かいがんをずっとあるいていけば、きっと川《かわ》がみつかるにちがいない。」

そこでエルマーは、お日《ひ》さまがのぼるまであるきつづけて、ぴょんぴょこいわから、だいぶはなれたところまでやってきました。

ひるま、ぴょんぴょこいわのそばにいると、どうぶつにみつけられるきけんがあるとおもったからです。エルマーは、せのたかいくさのしげみをみつけて、そのかげにすわりました。

それから、ゴムながぐつをぬいで、みかんをもう三《みっ》つたべました。ほんとは十二《じゅうに》もたべたいところでしたが、この島《しま》にはどこにもみかんがなっていなかったので、すこしはのこしておかなければこまるぞと、おもってがまんしたのです。

エルマーは、ひるまは、木《こ》かげでねむりました。ゆうがたになって、お

かしな、小《ちい》さなこえが、なにかいっているので目《め》をさましました。

「こりゃこりゃ、なんと、かわいい、おかしだこと！　おっと、まちがい。おやおや、なんと、おかしな、小《ちい》さないわだこと。」

エルマーは、ちっぽけなまえ足《あし》が、リュックサックを、がりがりひっかいているのをみつけました。

エルマーは、じっとしていました。すると、ねずみが――それは、一《いっ》ぴきのねずみだったのです――ぶつぶついいながらはしっていきま

した。

「はなしに、だれかしなくっちゃ。おっと、まちがい。だれかに、はなしをしなくっちゃ。」

エルマーは、二《に》、三《さん》ぷんじっとしていて、それから、もうだいぶくらくなってきたので、かいがんをあるきはじめました。でも、あのねずみが、ほんとにだれかにいいつけないかなとおもうと、しんぱいになってきました。

エルマーは、よるじゅうあるきました。こわいことが、二《ふた》つおこりました。

一《ひと》つめは、くしゃみをしたくてたまらなくなったので「はっくしょい」と、くしゃみをすると、だれかが、そばでいいました。

「いまのはおまえかい、さるくん?」

エルマーはこたえました。

「そうだよ。」

するとそのこえが、またいいました。

「さるくん、せなかになにかしょっているね。」

エルマーは、

「しょってるよ。」

と、こたえました。とにかく、せなかにリュックサックをしょっていたんですから。

「せなかにしょっているのは、そらなんだ？」

と、そのこえが、ききました。

エルマーは、なんとこたえていいのかわからなくて、こまってしまいました。いったい、さるは、せなかになにをせおうでしょうか。それをしょっていると、いったら、このあいては、いったいどうするんだろう。ちょうど、そのとき、べつのこえが、いいました。

「びょうきのおばあさんを、おいしゃにつれていくんだね。」

　エルマーは、

「そうとも。」

と、いって、かけだしました。ずっとあとになってから、このあいては、二《に》ひきのかめだったことがわかりました。

　もう一《ひと》つこわかったのは、エルマーが、もうちょっとで、二《に》ひきのいのししのあいだへ、わりこみそうになってしまったことです。二《に》ひきのいのししは、ひそひそごえで、はなしあっていました。エルマーは、くろいかげをみたときに、二《ふた》つ

の大《おお》きないわだとおもってしまったのです。そうしたら、その一《ひと》つが、こんなことをいいました。

「ちかごろ、この島《しま》に、しのびこんだやつがいるらしい。そのしょうこが、三《みっ》つある。

だい一《いち》は、ぴょんぴょこいわのそばの、ワフーの木《き》の下《した》に、むいたばかりのみかんのかわがすててあった。

だい二《に》は、ねずみのほうこくによれば、『ぴょんぴょこいわから、だいぶはなれたところに、おかしないわあり。しかし、くわしくしらべたところによれば、そのいわは、ゆくえふめいである。』

しかしだ、そのいわのあったらしきところに、もっとあたらしいみかんのかわあり、これが、だい三《さん》のしょうこである。われらの島《しま》には、みかんはならんから、だれかが、ほかの島《しま》からぴょんぴょこいわをつたって、やってきて、このみかんをはこびこんだにちがいない。

これがだ、もしかすると、ねずみのほうこくした、おかしないわがあらわれたり、きえたりすることと、かんけいがあるかないか、どっちかであろう。」

だまってこれをきいていたもう一《いっ》ぴきのいのししが、しばらくしてからいいました。

「すこうしばかり、むきになりすぎてはおらんかね。みかんのかわなんぞ、ひとりでにながれつくこともあるんだよ。それに、あのあわてもののねずみのいうことではねえ。もし、だれかがしのびこんだら、このわしが、とっくにみつけているよ！」

「おまえのいうとおりかもしれん。」

と、はじめのいのししがいいました。

「では、おやすみとしようかい？」

そういうと、二《に》ひきのいのししは、ころがるようにジャングルの中《なか》へも

どっていきました。

エルマーは、おかげでいいことをおぼえました。それから、みかんのかわをすてるのをやめました。

エルマーは、よるじゅうあるいて、よあけになって川《かわ》につきました。それから、ほんとにたいへんなことがおこるのです。

エルマー　とらにあう

川《かわ》は、はばがひろくて、どろどろににごっていました。そして、ジャングルは、とてもくらくて、きみがわるいところでした。たくさんの木《き》が、すきまなくはえていて、すきまがすこしでもあれば、そこには、ねちねちしたはっぱのついた大《おお》きなしだが、いっぱいはえていました。

エルマーは、かいがんからはなれるのは、こわいきがしました。それでも、とにかく、川《かわ》ぎしにそってあるいていくことにしました。そこは、木《き》があまりしげっていませんでした。

エルマーは、みかんを三《みっ》つたべ、かわを一《ひと》つもおとさないように、ゴムながぐつの中《なか》にいれました。

エルマーは、川《かわ》にそってあるこうとしましたが、川《かわ》ぎしはどろぬまで、すすめばすすむほど、ぬまはふかくなっていきます。

とうとう、ゴムながぐつがもぐってしまうほどふかくなって、どろどろした、きたないどろの中《なか》で、エルマーは、うごけなくなってしまいました。

エルマーは、いっしょうけんめい足《あし》をもちあげました。すぽんと、ながぐつから足《あし》がぬけてしまいそうになるくらい、ひっぱりました。やっとのことで、このどろぬまから足《あし》をぬきだして、かわいたところにあがりました。

ジャングルの中《なか》が、あまりくらいので、すこしはなれると、川《かわ》のあるところがわからなくなってしまいました。そこで、エルマーは、じしゃくをだして、ほうこうをしらべました。川《かわ》からあまりはなれたところを、ある

きたくなかったからです。
ところが、ちょっとさきのところから、川《かわ》が、ぐうんとまがっているこ
とにきがつきませんでした。エルマーは、まっすぐあるくうちに、川《かわ》から
どんどん、どんどん、はなれてしまいました。
ジャングルの中《なか》をあるくのは、それはたいへんなことでした。ねちねち
したしだのはっぱが、エルマーのかみのけにくっつきました。また、エル
マーは、木《き》のねや、くさってたおれた木《き》に、なんかいもつまずきました。
それから、木《き》がからみあっているところは、くぐりぬけることができなく
て、ずっとまわりみちをしなければなりませんでした。
がさがさというおとがきこえてきました。けれども、どうぶつは、どこ
にもみえません。
ジャングルのおくへすすめばすすむほど、そのがさがさがちかくなって
きます。たしかに、なにかが、あとをつけてくるのにちがいありません。

こんどは、うしろばかりでなく、りょうがわに、このがさがさが、きこえました。

エルマーは、かけだそうとしました。ところが、また木《き》のねにつまずいてたおれました。がさがさというおとは、ますますちかづいてきます。一《いち》どか二《に》ど、だれかが、わらっているようなこえがきこえました。

とうとう、あきちにでました。エルマーは、あきちのまん中《なか》にとびだして、おそいかかってくるのはなにものだろうと、まちかまえました。

すると、どうでしょう。くらいジャングルの中《なか》から、あきちをめがけて、十四《じゅうし》のみどりの目《め》が、ちかづいてくるではありませんか！　そしてそのみどりの目《め》が、七《しち》ひきのとらにかわったではありませんか！

七《しち》ひきのとらは、エルマーのまわりを、大《おお》きなわになって、ぐるぐるまわりました。おなかを、ぺこぺこにへらしているようすです。

ところが、とらたちは、すわりこんで、エルマーにむかってつぎつぎに

いいました。

「おまえは、わしらのジャングルを、むだんつうこうしているのを、わしらが、きがつかんとでもおもったのかい！」

つぎのとらが、いいました。

「このジャングルが、わしらのものだとしらなかった、とはいわせんぞ！」

「この島《しま》にやってきたたんけんかは、ひとりも、いきてかえれないということを、しっとったかね？」

と、三《さん》ばんめのとらが、いいました。

エルマーは、ねこがこの島《しま》にきたことをおもいだして、そんなことは、うそだとお

もいました。でも、うそだ、なんていえません。おなかがぺこぺこの七《しち》ひきのとらをおこらしてはたいへんです。

七《しち》ひきのとらが、かわるがわるいいました。

「小《ちい》さい子《こ》をたべるのは、おまえがはじめてだ。とくべつやわらかいだろうな。」

「おまえは、わしらが、三《さん》ど三《さん》ど、ちゃんときまったじかんに、しょくじをするとでもおもっているかもしらんが、

わしらは、はらさえすけば、いつでもぱくつくんだぞ。」と、五《ご》ばんめのとらが、いいました。

「そしていま、はらぺこだ。もうまちきれんぞ。」と、六《ろく》ばんめのとらが、いいました。

「もう、がまんがならん!」七《しち》ばんめのとらが、ほえました。

そこで、とらたちは、こえをあわせて、大《おお》ごえでほえました。

した。

「さあ、いますぐ、たべようじゃないか！」

七《しち》ひきのとらが、じりじりちかよってきました。

エルマーは、おなかをすかした七《しち》ひきのとらをみているうちに、いいかんがえがうかびました。いそいでリュックサックをあけて、チューインガムをとりだしました。

「とらは、島《しま》ではめったに手《て》にはいらないチューインガムがとくべつすきだ」と、ねこがいったのをおもいだしたのです。

エルマーは、チューインガムを一《ひと》つずつ、とらにむかってなげました。

ところが、とらは、うなりごえでいいました。

「チューインガムはすきだぞ。けれども、おまえのほうが、もっとうまそうだあ！」

とらのはくいきが、かおにあたるほど、とらは、ちかづいてきました。

「これは、これは、とびきりじょうとうのチューインガムですよ。」

エルマーはいいました。

「しばらくかんでいると、みどりいろになりますよ。それから、それをじめんにまいてごらんなさい。たくさんのチューインガムがなりますから。さあさあ、はやいものがち、はやいものがち、はやくかむほど、たくさんガムがとれまあす。」

とらたちは、こえをそろえていいました。

「そいつぁ、なんともすてきじゃないか！」

どのとらも、じぶんこそいちばんさきに、チューインガムをじめんにうえたいとおもったので、おおいそぎで、つつみがみをひらいて、チューインガムを口《くち》にいれ、いっしょうけんめい、かみはじめました。

ときどき、ほかのとらの口《くち》の中《なか》をのぞきこみながらいいました。

「まだまだ、おまえのチューインガムは、みどりいろじゃないぞ。」

どのとらも、どのとらも、ほかのとらが、じぶんよりさきに、チューインガムをみどりいろにしてはたいへんと、おたがいに口《くち》の中《なか》をのぞきこみながら、いっしょうけんめい、チューインガムをかみました。

あまり、むちゅうになったので、とらたちは、エルマーをたべることを、すっかりわすれてしまいました。

エルマー　さいにあう

エルマーは、あきちからおくのほうへつづいているみちをみつけました。いろいろなどうぶつが、このみちをとおるかもしれません。けれどたとえ、どんなめにあってもいいから、このみちをすすもうと、けっしんしました。

このみちが、りゅうのいるところに、つうじているかもしれないからです。エルマーは、まえとあとと、じゅうぶんけいかいしながらすすみました。

もうだいじょうぶとおもったとき、あるまがりかどをまがったひょうし

に、そこに、二《に》ひきのいのししがいました。

一《いっ》ぴきのいのししが、もう一《いっ》ぴきのいのししに、こういっていました。

「しっとるかい？　かめたちは、『ゆうべ、さるが、びょうきのおばあさんを、おいしゃにつれていくのをみた』といっとるぞ。しかしな、さるのおばあさんは、一《いっ》しゅうかんまえに、しんどるはずだ。かめは、なにか、ほかのものをみたにちがいない。

いったいぜんたい、なんだろう？」

「だからいったじゃないか。たしか、なにものかが、このどうぶつ島《じま》にしんにゅうしたらしい、と。」

もう一《いっ》ぴきのいのししが、いいました。

「おれは、それをさがすつもりだ。しんにゅうなんて、おれは、きらいだぞ。」

「やたしも、わだや。」

ちっちゃなちっちゃなこえが、いいました。

「おっと、まちがい。わたしも、やだわ。」

そのちっちゃなこえは、ねずみだなと、エルマーは、きがつきました。

「それでは、」

と、はじめのいのししが、いいました。

「おまえは、このみちを、りゅうのいるほうへさがしていってくれ。おれ

は、このみちをもどって、あきちのほうをさぐってみる。ねずみ、おまえは、ぴょんぴょこいわのところで、しんにゅうしゃが、にげだすかどうか、みはっていてくれ。」

エルマーは、あわてて、マホガニーの木《き》のうしろにかくれました。

一《いっ》ぴきのいのししが、すぐそばをとおっていきました。エルマーは、二《に》ひきめのいのししが、さきにいくのをまちました。

けれども、あまりぐずぐずしているわけにはいきません。もし、いのししが、七《しち》ひきのとらが、チューインガムをかんでいるのをみつければ、これはあやしいぞ！　と、おもうにきまっています。

まもなくエルマーは、小《ちい》さな川《かわ》にいきあたりました。のどがかわいたので、水《みず》をのもうとおもって、たちどまりました。

エルマーは、ゴムながぐつをはいていたので、じゃぶじゃぶと、水《みず》たまりの中《なか》にはいっていきました。

そのときです。なにか、かたいとがったものが、エルマーのズボンをぐいっと、ひっかけてからだをもちあげて、はげしくゆすぶりました。

「こら！　ここは、おれさまの、なきべそようのプールであることをしらんのか？」

ふといこえが、おこっていいました。

エルマーは、水《みず》の上《うえ》で、くうちゅうに、ちゅうぶらりんになっているので、だれがおこっているのかわかりません。でも、こういいました。

「どうもすみません。しらなかったものですから。このジャングルの中《なか》では、みんな、なきべそようのプールをもってるなんて、しらなかったんです。」

「みんななんかもっとらん！」

おこったこえは、いいました。

「おれさまだけだ。おれさまには、とくべつのりゆうがあるからなくのだ。

かってに、おれさまのなきべそプールにはいってくるやつは、みんな、水《みず》の中《なか》にしずめてしまうのだぞ！」

そういうと、そのどうぶつは、水《みず》の上《うえ》で、エルマーを、ぐるぐるふりまわしました。

「そんなになきたいことって、いったいなんですか？」

エルマーは、いきをきらしながらききました。それから、リュックサックの中《なか》に、なにかやくにたつものはないかとかんがえました。

「おお、おれさまには、なきたいことがいっぱいある。いちばんなきたいことは、おれさまのつののいろだ。」

エルマーは、あっちこっちからだをひねりながら、つのをみようとしました。けれども、そのつのは、エルマーのズボンの中《なか》にはいっているので、どうしてもみることができません。

「おれさまが、まだわかいさいだったときには、おれさまのつのは、しんじゅのように白《しろ》かったのだ。」

と、そのどうぶつがいいました。（そこでやっと、エルマーは、そのどうぶつは、さいで、さいのつのにズボンをひっかけられて、くうちゅうをふりまわされていることがわかりました。

「それが、としをとったら、みろ、こんないやらしい、きいろにかわってしまったのだ。こんなにきたなくなりおった。おれさまのからだは、どこもかしこもきたないのに、つのだけが、きれいだったからへいきだったのに。ところが、いまは、つのさえもみにくくなりおった。

ああ、おれさまはな、からだじゅうが、ぜんぜんまったく、きたなくなってしまったのをかんがえると、よるもねられんわい。だから、いつも、いつも、なきべそをかいているのだ。

それにしても、なんでおれさまが、おまえなんかに、こんなことをいわ

なければならんのだ？　おまえは、おれさまのプールをむだんでつかったのだぞ。

さあ、これから、おまえを、水《みず》の中《なか》につけてやる！」

「ちょっと、さいさん、まってください。」

エルマーは、いいました。

「そのきたないつのを、まえのように、白《しろ》く、きれいにする、いいものがありますよ。だから、ちょっと、ぼくをおろしてくださいよ。」

さいがいいました。

「なに、いいものがあると？　ほんとかい？　これは、これは、おどろいた！」

さいは、エルマーをじめんにおろすと、エルマーが、リュックサックの中《なか》から、はブラシと、チューブいりはみがきをだすのをみながら、どすんどすんと、足《あし》ぶみしました。

「さあ、」

エルマーは、いいました。

「あなたのつのを、すこうしこちらへちかづけてください。どうしてやるのか、みせてあげますからね。」

エルマーは、水《みず》たまりの水《みず》で、はブラシをぬらすと、その上《うえ》にチューブからはみがきをすこしおしだして、つののいちぶを、いっしょうけんめいこすりました。

それから、さいに「つのをあらいなさい」と、いいました。水《みず》たまりの水《みず》がしずかになったころ「水《みず》の上《うえ》につのをうつして、はブラシでみがいたところが、白《しろ》くなっているかどうか、みてごらんなさい。」と、いいました。

ジャングルの、うすぐらいあかりの中《なか》では、はっきりみることはできません。それでもたしかに、みがいたところだけ、しんじゅのように、白《しろ》くひかっていて、まるでできたてのつののようでした。

とてもよろこんださいは、エルマーの手《て》から、はブラシをひったくると
エルマーのことなんかすっかりわすれて、つのをめちゃくちゃにこすりは
じめました。
ちょうどそのときです。ほかのどうぶつの足《あし》おとがきこえてきたので、
エルマーは、いそいでさいのうしろへかくれました。
あきちで七《しち》ひきのとらが、チューインガムをかんでいるのをみて、いの
ししが、ひっかえしてきたのです。
いのししは、はじめにさいをみて、それから、はブラシと、チューブい
りのはみがきをみて、木《き》に耳《みみ》をこすりつけながらききました。
「さいのだんな、おしえてくれんかの。そのひかっているチューブいりの
はみがきと、はブラシは、どこで手《て》にいれなさったのかね？」
「いそがしいのが、わからんのか？」
さいは、そうこたえたまま、ちからいっぱいみがきつづけました。

はみがき

いのししは、おこってはなをふがふがさせながら、りゅうのいるほうへ、とことこはしっていきました。

「おかしい、たしかに、おかしい。とらたちは、いそがしそうにチューインガムをかんでいたし、さいのだんなも、つのをブラシでみがくのにいっしょうけんめいだ。

しんにゅうしてきたやつをつかまえなくてはたいへんだ。どうも、きにくわん！　だれもかれも、ぜんぜん、へんちくりんだ！　いったいぜんたい、なにがおこっているのやら、さっぱりわからん。」

エルマー　ライオンにあう

エルマーは、さいにさよならと、手《て》をふりました。さいは、いそがしくて、ぜんぜんきがつきません。

それからエルマーは、小川《おがわ》の下《しも》のほうで水《みず》をのんで、もとのみちにもどりました。それからすこしさきへいくと、一《いっ》ぴきのどうぶつの、おこっているこえが、きこえました。

「このまぬけ！　くろいちごをとりにいっちゃいかんと、きのういったじゃないか。なんどいったらわかるんだ。おまえのおふくろさんがみつけたら、なんという？」

エルマーは、しずかにはっていって、すきまから、さきのほうにあるあきちを、のぞきました。

一《いっ》ぴきのライオンが、たてがみをひっかきながら、はねまわっています。たてがみは、くしゃくしゃにからみあって、くろいちごの小《こ》えだがいっぱいついていました。ひっかけばひっかくほど、たてがみは、もっとくしゃくしゃになってしまいます。

それで、ライオンは、おこればおこるほど、じぶんにむかって、どなってしまいます。ライオンは、さっきからずっとじぶんをおこっていたのです。

エルマーは、このみちが、あきちのまん中《なか》をとおっているのにきづきま

した。エルマーは、ライオンのじゃまをしないように、あきちのはしのほうを、しげみをくぐって、とおりぬけようとしました。

エルマーは、しずかにじめんをはっていきました。ライオンのどなりごえが、だんだん大《おお》きくきこえました。もうすこしで、あきちのはんたいがわにつくというとき、とつぜん、ライオンのどなりごえがとまりました。

エルマーが、うしろをみると、ライオンが、にらんでいます。ライオンは、があっと、とびあがって、五《ご》、六《ろく》センチはなれたところで、だっと、とまりました。

「だれだ、おまえは？」

ライオンは、エルマーにむかってほえました。

「ぼくのなまえは、エルマー・エレベーターです。」

「おまえは、どこへいくつもりだ？」

「ぼく、うちへかえるところです。」

と、エルマーは、こたえました。

「そうはとんやがおろさんわい。」

と、ライオンが、いいました。

「ふつうなら、ごごのおちゃのじかんにとっとくのだが、ちょうど、はらをたてたんで、おれさまは、はらぺこだ。おまえをくうのに、おあつらえむきだ。」

そういうとライオンは、まえ足《あし》でエルマーをつかまえて、どのくらいふとっているか、さわってみました。

「どうぞライオンさま、ぼくをたべるまえに、どうして、そんなに、とくべつおこっているのかおしえてください。」

「たてがみのせいだ。」

ライオンは、エルマーをいく口《くち》ぐらいでたべられるか、はかりながらいいました。

「なんともひどいもんじゃないか、おれはじぶんでどうしていいかわからないのだ。ごごになれば、おれのおふくろがりゅうにのってやってくる。おふくろさんが、おれのたてがみをみたら、きっとこづかいをくれなくなってしまうだろう。おふくろさんは、くしゃくしゃのたてがみが、なによりきらいなんだ。

けれど、おれは、おまえをくうぞ。だから、おまえにかんけいないことだ。」

「おっと、ちょっとまってください。」

と、エルマーは、いいました。

「あなたのたてがみを、すっかり、きれいにするのにちょうどいいものをあげましょう。それはぼくのリュックサックの中《なか》にはいっているんです。」

「はいってると?」

ライオンが、いいました。

「よし、それをよこせ。もしかしたら、おまえを、ごごのおちゃまでとっておくことにするかもしれん。」

そういって、ライオンは、エルマーのからだをはなしました。

エルマーは、リュックサックをひらいて、くしと、ブラシと、七《なな》いろのリボンをとりだしました。

「ほら、ごらんください。」

と、エルマーは、はじめました。

「まず、あなたのまえがみをつかってやってみせますから。そこならあなたもみえるでしょう。

はじめに、しばらくブラシをかけます。それからくしをつかいます。それからまた、小《こ》えだやもつれがすっかりとれるまでブラシをかけます。それから、三《みっ》つにわけて、こんなふうにあんで、さきのほうをリボンでむすびます。」

エルマーが、こうやっているあいだライオンは、目《め》をそらさずみていましたが、だんだんうれしそうなかおをしてきました。エルマーがリボンをむすびおわると、ライオンは、おおにこにこになってしまいました。

「おっほ、これはすてきだ。あら、ほんとにすてきだ！」

と、ライオンは、いいました。

「どれ、そのくしとブラシをわたしにかしておくれ、じぶんでやってみるから。」

そこで、エルマーは、くしとブラシをライオンにわたしました。ライオンは、いっしょうけんめい、たてがみをとかしはじめました。

それから、あんまりむちゅうになってしまったので、エルマーが、にげだしたのもしりませんでした。

エルマー　ゴリラにあう

エルマーは、おなかがぺこぺこになってしまったので、みちのそばにはえていた、小《ちい》さなバンヤンの木《き》の下《した》にすわって、みかんを四《よっ》つたべました。あと十三《じゅうさん》しかのこりません。ほんとは、八《やっ》つか十《とお》たべたかったのだけど、いつになったら、もっとみかんをみつけることができるかわからないので、がまんしました。

エルマーが、みかんのかわをしまいこんで、たちあがろうとすると、また、あのいのししのこえがきこえました。

「もし、この目《め》でみなかったらしんじられん。とにかく、おまえも、じぶ

んの目《め》でみてみろよ。たまげたこっちゃ。

とらが、みんなすわりこんじまって、チューインガムをかんどるんだ。あのとしとったさいは、つのをみがくのにいそがしくって、だれがそばをとおってもしらんかおしてござる。

だれもかれも、めちゃくちゃにいそがしくって、わしに、はなしかけてもくれん。」

「そんなばかな!」

と、もう一《いっ》ぴきのいのししが、エルマーのすぐそばでいいました。

「おれなら、ききだしてみせる!

こんどこそ、げんいんをつきとめるぞ!」

いのししは、はなしながら、エルマーのそばをとおりすぎ、みちをまがっていきました。

エルマーは、いそぎました。もしライオンのたてがみが、リボンでむすんであるのをみつければ、二《に》ひきのいのししは、なにをしでかすかわかりません。

まもなくエルマーは、じゅうじろへやってきました。そこに、どうひょうしきが、たっていました。

「まっすぐいけば、川《かわ》のはじまり、左《ひだり》へまがれば、ぴょんぴょこいわ、右《みぎ》へまがれば、りゅうのわたしば」と、かいてありました。

エルマーが、このひょうしきをみていると、足《あし》おとがきこえたので、あわてて、ひょうしきのかげにかくれました。一《いっ》ぴきのうつくしいめすのライオンが、しゃなりしゃなりと、あるいてきて、あきちのほうへきえていきました。

ぴょんぴょこいわ
りゅうのわたしば
川のはじまり

もし、このめすのライオンが、ひょうしきのところで、ちょっと下《した》をみれば、エルマーをみつけたかもしれません。でも、はなのさきをみつめたまま、あんまりきどってあるいていたので、エルマーにきがつきませんでした。これこそライオンのおかあさんだったのです。そうだとすると、りゅうがいるのは、川《かわ》のこちらがわにちがいないぞと、エルマーはおもいました。

エルマーは、いそぎました。けれども、りゅうのわたしばは、おもったよりずっととおくでした。ゆうがたちかくなって、エルマーは、やっとりゅうのわたしばにたどりつきました。

そして、ぐるりとみわたしたけれど、りゅうは、どこにもいませんでした。川《かわ》のはんたいぎしへかえってしまったのにちがいありません。

エルマーは、やしの木《き》の下《した》にすわって、なにか、いいてはないかとかんがえました。そのときです。大《おお》きい、まっくろい、けむくじゃらなどうぶ

つが、木《き》の中《なか》からとびだして、エルマーの目《め》のまえに、どすんと、二本足《にほんあし》でたちました。

「なんだ!」

と、大《おお》きいこえがいいました。

「なんだとはなんだ。」

と、エルマーはいいました。そういってしまってからエルマーは、しまった! と、おもいました。

みれば、ものすごく大《おお》きくて、ものすごくおそろしいゴリラにむかって、「なんだとはなんだ」なんていってしまったのです。

「なんだ、おまえがなんだかいってみろ。」

と、ゴリラがいいました。

「おれが十《とお》かぞえるまに、おまえのなまえと、しょうばいと、としと、せなかのにもつのなかみをいえ。」

そういって、はや口《くち》に十《とお》かぞえはじめました。

「なまえは、エルマー・エレベーターで、しょうばいは、たんけんか……」

いいおわらないうちに、ゴリラは、さけびました。

「のろま！　りゅうのはねをねじったみたいに、おまえのうでをねじってしまうぞ。そうすりゃあ、すこしは、はやくいえるか！」

ゴリラは、エルマーのうでをとって、かたほうずつねじろうとしました。

でも、そのとたん、ぽいっと、はなして、りょう手《て》でむねをぼりぼりかきました。

「かゆいぞ、のみめ！」

ゴリラは、とびあがっておこりました。

「いつでも、もぞもぞとはいまわるくせに、ちっともすがたをみせん。おうい、ロージー！　ローダ！　レイチェル！　ルーシー！　ルビー！　ロ

ベルタ！　みんなでてこい。そして、わしのむねからのみをとっておくれ、かゆくてたまらんわい！」

やしの木《き》から、小《ちい》さなさるが六《ろっ》ぴきとびだしてきて、ゴリラにとびついて、むねのけをさぐりはじめました。

「おい、まだいるぞ！」

「さがしてるんだよ、さがしてるんだよ。」

と、六《ろっ》ぴきの小《ちい》さなさるが、いいました。

「でも、なかなか、みつかんないのよ。」

「わかっとるわい。」

と、ゴリラが、いいました。

「でも、いそいどくれ、しごとがあるんだからな。」

そういって、エルマーのほうをむいて、かた目《め》をつむりました。

「ああ、ゴリラさん。」

と、エルマーはいいました。

「ぼくのリュックサックに、むしめがねが、六《ろっ》こありますよ。のみさがしにもってこいなんですがね。」

　エルマーは、むしめがねを六《ろっ》ことりだして、ロージーと、ローダと、レイチェルと、ルーシーと、ルビーと、ロベルタに一《いっ》こずつわたしました。

「うわあい、これはすごい！」

と、六《ろっ》ぴきの小《ちい》さなさるは、いいました。

「みえる、みえる、のみがよくみえる、なん百《びやっ》ぴきもみえるわ！」

それから、むちゅうになってとりはじめました。

しばらくすると、ちかくのマングローブのしげみの中《なか》から、さるがぞろぞろでてきて、むしめがねで、かわるがわる、のみをみはじめました。

ゴリラは、すっかりさるにとりかこまれてしまいました。もうゴリラには、エルマーがみえなくなってしまったばかりか、エルマーのうでをねじることも、すっかりわすれてしまいました。

エルマー　はしをかける

エルマーは、川《かわ》ぎしをのぼったりくだったりしながら、川《かわ》をよこぎるほうほうをかんがえました。

そのうち、一本《いっぽん》のたかいさおが、たっているのにきがつきました。そのさおから、川《かわ》のはんたいがわに、一本《いっぽん》のつながわたしてありました。そのつなは、さおのさきのわをとおり、下《した》のハンドルでまきとるようになっています。ハンドルのところに、なにか、かいてありました。

りゅうをよぶのには、ハンドルをまわすこと
りゅうがあばれたら、ゴリラにほうこくすること

ねこが、エルマーにいったことがほんとなら、このつなのはんたいがわのはしが、りゅうのくびにまきつけられているはずです。

エルマーは、りゅうが、ますますかわいそうになりました。りゅうが、川《かわ》のこちらがわにいるときには、ゴリラが、ちからいっぱいりゅうのはねをねじまげます。そうすると、りゅうは、いたくてがまんができなくなって、むこうがわのきしにとんでいくのです。

りゅうが、むこうがわのきしにいるときには、ゴリラが、こちらがわで、ハンドルをちからいっぱいまわします。そうすると、りゅうは、くびをしめつけられるので、くるしくてたまらなくなって、いやでもこちらがわのきしにもどってこなければなりません。

なんと、かわいそうな、りゅうの子《こ》どもではありませんか！

エルマーは、大《おお》ごえでりゅうをよんでみようかとおもいました。でも、そんなことをすれば、ゴリラにきこえてしまいます。

そこで、エルマーは、さおにのぼって、つなをつたっていこうかと、かんがえました。ところが、さおは、とてもたかいのです。

それに、どうぶつたちにみつからないで、さおのてっぺんまでのぼれたとしても、それからさきは、つなにぶらさがっていかなければなりません。川《かわ》の水《みず》はにごっているし、川《かわ》の中《なか》には、どんないやなやつがすんでいるかわかりません。

でも、エルマーは、ほかにいいほうほうをかんがえつくことができませんでした。エルマーは、さおにのぼりはじめようとしました。

そのときです。ジャングルの中《なか》でさわいでいたさるのこえとはべつに、すぐそばで、ばしゃんと、水《みず》をはねかえすおとがきこえました。

エルマーは、川《かわ》の中《なか》をみまわしましたが、もう、うすぐらくてなにもみえません。

「おれだよ、わにだよ。」

と、左《ひだり》のほうからこえがきこえました。

「いいきもちだよ、水《みず》の中《なか》は。ところで、さっきから、なにかうまいものがほしくてこまっているところさ。どうだい、ちょいと水《みず》の中《なか》へ、はいってこないかね？」

くものかげから青《あお》い月《つき》がでて川《かわ》の上《うえ》をてらしたので、エルマーは、このしょうたいがわかりました。わにのあたまが、水《みず》の上《うえ》にでています。

「け、けっこうですよ。」

エルマーは、こたえました。

「ぼくは、日《ひ》がくれてからは、けっしておよがないことにしているんですよ。でも、うまいものならもっています。ぼうつきキャンデーはおすきですか？　きっと、あなたのおともだちもすきでしょうね。」

「ぼうつきキャンデーだって！」

わにが、いいました。

「そいつはすてきじゃないか！　おうい、みんなきいたか！」

がやがや、わにゃわにゃ、たくさんのわにが、いいました。

「ふれー、ふれー！　ぼうつきキャンデー！」

かぞえてみると、十七《じゅうしち》ひきのわにが、水《みず》からあたまをだしています。

「そろいましたね。」

エルマーは、ぼうつきキャンデー二《に》ダースと、わゴムのたばをだしながらいいました。

「さあ、一本《いっぽん》ここのきしへさしますよ。わかってますか、キャンデーは、水《みず》の中《なか》へいれないほうが、ながもちするんですよ。だれか、ひとりこのキャンデーをしゃぶってくださあい。」

はじめに口《くち》をきいたわにが、のそのそあがってきて、キャンデーをなめました。

「うまい、とびきりうまい！」

「さあ、もし、おさしつかえなかったら。」

と、エルマーは、いいました。

「あなたのせなかの上《うえ》にのせていただいて、しっぽのさきに、わゴムで、二本《にほん》めのキャンデーをくくりつけたいんですけれど、よろしいですか?」

「いいとも、いいとも。」

と、そのわにが、こたえました。

「それでは、しっぽをすこうしばかり、水《みず》の上《うえ》へだしてくれませんか。」

「いいとも、いいとも。」

そういって、わには、しっぽを水《みず》の上《うえ》にだしました。

そこでエルマーは、いそいでわにのせなかの上《うえ》をあるいていって、二本《にほん》めのキャンデーを、しっぽに、わゴムで、しっかりとめました。

「おつぎはどなた?」

すると、二《に》ひきめのわにがおよいできて、そのキャンデーをしゃぶりは

じめました。

「さあさあ、みなさん。一《いち》れつにならんでならんで。じかんのせつやくにもなりますからね。」

「ひとりずつ、じゅんばんに、キャンデーをくばっていきますよ。」

わにたちは、しっぽにぼうつきキャンデーをつけてもらいたくて、川《かわ》をよこぎって、ずらりと一《いち》れつにならびました。

すると、ちょうどいいぐあいに、十七《じゅうしち》ひきめのしっぽが、川《かわ》のむこうぎしにとどきました。

エルマー りゅうをみつける

エルマーが、十五《じゅうご》ひきめのわにのせなかをわたろうとした、ちょうどそのときです。

ジャングルの中《なか》のさるのなきごえが、ぱたっと、とまって、はてなっとおもうまに、こんどは、ものすごいほえごえが、川《かわ》にちかづいてきました。かんかんになったとらが七《しち》ひき、ものすごくおこったさいが一《いっ》ぴき、ほえたてるライオンが二《に》ひき、それから、きいきいなきさけぶ、かぞえきれないくらいのさるをつれ、おお口《くち》をあけたゴリラが、めちゃくちゃにおこった二《に》ひきのいのししをせんとうにして、おしよせてきたのです。

「だまされたあ！　だまされたあ！　あいつが、しんにゅうしゃだ。りゅうを、たすけにきたやつだ。ころせえ！　ころせえ！　ころしてしまえ！」

どうぶつのいちだんが、だっだっだっと、川《かわ》ぎしにおりてきました。

エルマーが、十七本《じゅうしちほん》めのキャンデーを、さいごのわにのしっぽにむすびつけようとしていると、いのししのさけびごえがきこえました。

「みろ、あいつは、こっちへきたんだぞ！　ほら、あそこにいるじゃないか！　わにのやつらめ、はしなんかかけてやっている。わあ――」

エルマーが、ちょうど、はんたいがわのきしにとびうつったとき、一《いっ》ぴきのいのししが、はじめのわにのせなかにとびのりました。さあ、エルマーは、もう、うしろをふりかえるひまもありません。

りゅうも、エルマーが、じぶんをたすけにきたことに、きがつきました。りゅうは、くさむらの中《なか》からかけだして、とんだりはねたりしながらさけびました。

「こっちです、こっちですよう！　みえないの？　はやくはやく！　いのししが、わにのせなかをわたってきます。みんな、ぞろぞろ、そのあとからわたってきます！　おねがい、はやく、はやくってば！」

まるで、なきそうになって、よんでいます。

エルマーは、りゅうのところにかけよって、と

がったジャックナイフをだしました。

「じっと、じっとしてるんだよ。いい子《こ》だから。まにあうとも。じっとして、たってておくれよ。」

エルマーは、ふといつなを、ぎしぎしきりながらいいました。

もう、二《に》ひきめのいのししと、七《しち》ひきのとらぜんぶと、二《に》ひきのライオンと、さいと、ゴリラと、かぞえきれないくらいのきいきいざるは、みんな、わにのせなかをわたって、こちらにむかってきます。まだまだつなはきれません。

「ああ、いそいで、いそいで。」

りゅうは、いいつづけました。

エルマーは、

「じっとしてるんだよ。」

と、いいました。

「もし、ぜんぶきれなかったら、」

と、エルマーは、いいました。

「川《かわ》のはんたいがわにとんでって、そこで、つなののこりをきろうよ。」

きゅうに、さけびごえが、わあわあ大《おお》きくなりました。エルマーは、どうぶつたちが、川《かわ》をわたってしまったのにちがいないと、おもいました。エルマーは、うしろをふりかえりました。すると、おどろいたことには、そして、うれしいことには、こんなふうになってしまったのです。

とにかく、はじめのわにには、ぼうつきキャンデーをたべおえました。そうすると、この本《ほん》のはじめのほうでいったように、わにには、とてもきまぐれで、くいしんぼうで、ぜんぜんあてにできないどうぶつなので、きゅうに、ぐるりとむきをかえて、川《かわ》のまん中《なか》にむかっておよぎだしてしまったのです。

二《に》ばんめのわにには、まだ一《いち》ばんめのわにのしっぽについているキャン

デーを、ぜんぶなめおわっていないので、そのわにのうしろにくっついておよぎだしました。

つぎからつぎへと、ほかのわにがぜんぶ、おなじように、まえのわにのしっぽのキャンデーをなめながらおよぎはじめました。

二《に》ひきのいのししと、七《しち》ひきのとらと、さいと、二《に》ひきのライオンと、ゴリラと、かぞえきれないくらいのきいきいざるは、ぜんぶ、一《いち》れつになって、しっぽのキャンデーをなめながら、川《かわ》のまん中《なか》をおよぎはじめたわにのせなかにのったままです。そして、「きゃあきゃあ」さけんで足《あし》をぬらしながらながれていきます。

エルマーとりゅうは、おなかがいたくなるまでわらいました。

けれども、やっとわらいおわると、エルマーは、つなをぜんぶきりおえました。りゅうは、ぐるぐるはしりまわり、それから、ちゅうがえりをしました。こんなに、うれしがったりゅうの子《こ》どもは、せかい中《じゅう》にいままで

いなかったでしょう。

エルマーは、はやくそらをとびたくてしかたがなかったので、りゅうが、おちつくと、せなかにのりました。

「しゅっぱついたしまあす!」

と、りゅうがいいました。

「どちらへまいりましょう?」

「こんやは、かいがんでやすむことにしよう。あしたから、ながいきょりをとんでうちにかえるんだからね。そうら、みかん島《とう》へむかって、しゅっぱつだ!」

と、エルマーはさけびました。

りゅうは、くらいジャングルを下《した》にみて、とびたちました。にごった川《かわ》も、どうぶつたちも、目《め》をぎょろぎょろさせながら、キャンデーをなめているわにも、もうずっと下《した》になりました。

もともと、わには、だれがどうして川《かわ》をわたろうが、かまわなかったのです。おまけに、いまは、たいしたごちそうをせなかにのせているのです。

エルマーとりゅうが、ぴょんぴょこいわにさしかかると、小《ちい》さなこえがきこえてきました。

「どもれ！　どもれ！　うりゅが、ようひつだ！　うりゅが、ようひつだ！　おっと、まちがい。もどれ！　りゅうがひつようだ！」

けれども、エルマーとりゅうは、だれがなんといおうと、どうぶつ島《じま》なんかに、もどるものかとおもいました。

作者紹介

ルース・スタイルス・ガネット（Ruth Stiles Gannett）

1923年ニューヨーク市に生まれる。1944年バッサー・カレッジ卒業。化学者として医学研究所、および電波探知機の研究所で働く。その後、児童図書協議会に職員として勤めている間に、最初の作品『エルマーのぼうけん』を書いた。父は、ニューヨーク・ヘラルド・トリビューンなどに書く書評家であり、作家だった。

この処女作により、ガネットは、高い評価を受け、アメリカで毎年最もすぐれた児童文学作品に与えられるニューベリー賞の優秀作品に選ばれたのを始め、いろいろな推薦や賞を受けた。他の作品に、“The Wonderful House-Boat-Train”（Random House, 1949）、“Katie and the Sad Noise”（Random House, 1961）がある。

ルース・クリスマン・ガネット（Ruth Chrisman Gannett）

1896年サンタアナ市に生まれる。1920年カリフォルニア大学卒業後、アート・ステューデント・リーグにて学ぶ。挿絵画家として、スタインベック作品など多くの物語の挿絵を描く。この物語の著者ルース・スタイルス・ガネットの義理の母親でもある。

ニューベリー賞の1947年の受賞作『ミス・ヒッコリーと森のなかまたち』（福音館文庫）の挿絵をはじめ、『わたしのおかあさんは世界一びじん』（大日本図書）や、アメリカ・グラフィック・アート協会の優秀作品に選ばれた“Hi-Po the Hippo”（Random House, 1942）など、多くのすぐれた児童図書の挿絵を描いている。1979年没。

訳者紹介

わたなべ しげお（渡辺茂男）

1928年静岡市に生まれる。慶應義塾大学文学部卒業後、渡米。ウエスタンリザーブ大学大学院をおえ、ニューヨーク公共図書館児童部に勤務。帰国後、慶應義塾大学文学部図書館学科教授を経て、子どもの本の仕事に専念。

創作には、童話『もりのへなそうる』、絵本『とらっくとらっくとらっく』『しょうぼうじどうしゃじぷた』『どうすればいいのかな』（以上福音館書店）など。訳書には、絵本『どろんこハリー』『かもさんおとおり』「スモールさん」シリーズ、童話「きかんぼのちいちゃいいもうと」シリーズ（以上福音館書店）「ミス・ビアンカ」シリーズ（岩波書店）など、著書に『心に緑の種をまく——絵本のたのしみ』（新潮文庫）などがある。2006年没。

エルマーのぼうけん

1963年 7月 15日　初版発行
2012年 12月 5日　新版147刷
◇ 2010年 3月 25日新版第136刷にて改版しました。

著者　ルース・スタイルス・ガネット
画家　ルース・クリスマン・ガネット
訳者　渡辺茂男
編集　子どもの本研究会
発行　株式会社 福音館書店
〒113-8686　東京都文京区本駒込 6-6-3
電話　販売部 (03) 3942-1226　編集部 (03) 3942-9265
装丁・デザイン　辻村益朗／大野隆介
印刷　精興社
製本　島田製本

NDC933　128p　22×16cm
ISBN 978-4-8340-0013-9　http://www.fukuinkan.co.jp/

この本《ほん》をよんだ人《ひと》に

この本《ほん》はおもしろかったですか。
エルマーのお話《はなし》はぜんぶで３冊《さつ》です。
どれも、ゆかいですばらしい
ぼうけんばかりです。

1. エルマーのぼうけん

ゆうかんな男《おとこ》の子《こ》エルマーは、としとったのらねこからどうぶつ島《じま》にとらえられているかわいそうなりゅうの子《こ》の話《はなし》をききました。そこでエルマーは助《たす》けに出《で》かけ、うまいけいりゃくでどうぶつたちの手《て》から、ぶじりゅうをすくい出《だ》しました。

2. エルマーとりゅう

どうぶつ島《じま》からもどる途中《とちゅう》エルマーとりゅうは、すごいあらしにあって小《ちい》さな島《しま》におりました。その島《しま》はカナリヤたちの島《しま》で、王《おう》さまカナリヤのカン11世《せい》は知《し》りたがり病《びょう》にかかっていました。エルマーはみごと、王《おう》さまの病気《びょうき》をなおし、たくさんの宝物《たからもの》を手《て》に入《い》れます。

3. エルマーと16ぴきのりゅう

りゅうの子《こ》がそらいろ高原《こうげん》にあるわが家《や》に帰《かえ》ってみると、15匹《ひき》の家族《かぞく》みんなが、人間《にんげん》たちのためにほら穴《あな》にとじこめられていました。りゅうの子《こ》はエルマーに助《たす》けをもとめにいきました。エルマーは、またまたすばらしいけいりゃくで、めでたくりゅうの家族《かぞく》を助《たす》け出《だ》しました。

川のはじまり
どうぶつ島《じま》
エルマーは、川のこちらがわに
なにがあるかしりませんでした。
やしの木と
ゴリラ
どうろ
ひょうしき
小さな
バンヤンの木
小さな
あきち
さおと
ハンドル
いびきをかいてねていた
くじらの、いたところ。
しげみの中に
いたリュウ
みかんのかわ
ワフーの木
せのたかいくさの
しげみがあって、
エルマーはそこでねて、
みかんのかわを
のこしました。
小川
川《かわ》
なきべそプール
マホガニーの木
大きなあきち
エルマーが
2ひきのかめと
はなしたところ。
ぬまち
とてもくらい
ジャングル
エルマーが川をみつけた
ところ。そこから川ぎし
にそって、あるくことに
きめる。
エルマーがもうすこしで、2ひきの
いのししのあいだに はいって
いきそうになったところ。